實用中文

讀、說、寫

The effective way of learning reading, writing and speaking Chinese

第八冊

LEVEL 8

王姚文編寫 (*by Wendy Lin*)

CREATIVE WORLD ENT., INC.
43 Candlewick Court, Matawan, New Jersey 07747
clincomp@cs.com

ISBN 0-9701218-7-3

教材與教法簡介

「實用中文」以程度分，共有八册，一至四册以日常生活會話爲主，五至八册則是以歷史文化爲主。全書生字共約1200個，是以倒金字塔方式逐步累積，課文的設計盡量前後連貫，配合生字、生詞不同形式反復練習。練習題同時涵蓋讀、說、寫，建議老師授課安排以兩堂課教一單元；第一堂課以讀、寫爲主，先做生字、生詞介紹，帶領學生熟悉讀音、字義之後，學生在課堂上做生字、生詞練習，以便老師觀察學生筆劃順序，並及時糾正。第二堂課以說話爲主，在學生交換訂正前一堂課的家庭作業之後進行，一方面可復習前一堂課內容，同時爲說話練習作準備。

訓練聽和說的上課技巧大體上有—問答、訪問、自我介紹、猜謎、說故事、遊戲、演戲或實地操作等方式。老師可依照課文內容選擇適合方式進行。

在授課的過程中，對於各種形式的問題，盡量由學生回答，再由老師更正或補充，以提供學生思考機會。翻譯部份，只要意思相通，不必拘泥於特定句型結構，使學習過程更有彈性。如果有遺忘的生字、生詞，也鼓勵學生使用每册後面所附的拼音或英文索引，以便培養獨立學習的精神。

內容綱要

第一册	國籍、姓名、年級、家人、朋友…
第二册	自我介紹（身體部位，高、矮、胖、瘦…）
第三册	興趣、職業（動物，愛好、日期、打電話…）
第四册	日常生活會話（購物，問路，寫信，時間，‥）
第五册	文化一：中國的重要節日介紹
第六册	文化二：中國歷代簡介
第七册	文化三：中國重要人事物簡介
第八册	文化四：成語典故介紹

本書特別感謝Mary Ann Davis 女士的英文校對，同時以她任教資優兒童班多年經驗，對本書提供了許多寶貴意見。

第八册目次
Contents

第八冊生字表

生字表

課	生字	頁數
一、	齊魯杖鼓憑勇稍旺隊喪敵鐵趁備副臨	1
二、	孟底奸光曬寒凍它暴隔彈鋼琴	7
三、	羊奮業剪刀織棄途廢浪絕感番勤	13
四、	啓抵抗諸侯犯甘兵弱德育努應該缺誤	19
五、	舉聖傑桌角解靈似聞僅根	25
六、	章詞劉錫仰邀飲酒句奇偶遇蘇格蘭	31
七、	談趙括青倒危箭殺嘲釋尚未況際之	37
八、	侮略驚慌措率讚嘆忽何仔細某引績	44
九、	艾鴨蛋增緊吹牛丈寬掉答隨途	50
十、	勸性耐調逆升堆積柴居科趕勤研究	56

一、一鼓作氣

春秋時代，齊國和魯國打仗。魯國等齊國打第三次鼓之後，才打第一次鼓。而打完第一次鼓後，魯軍就把齊軍打敗了。這是因爲打仗全憑勇氣，打第一次鼓，軍隊勇氣旺盛，第二次已經稍減，第三次勇氣全沒有了。因此當勇氣正旺盛的部隊與喪失勇氣的敵人作戰，自然把敵人打敗。

我們做事情也要一鼓作氣，打鐵趁熱，才會有成功的希望。例如校長發動全校師生整理校園，爲即將來臨的運動會做準備，此時副校長打鐵趁熱，發動全校大掃除，大家一鼓作氣，不到一天，整個校園既乾淨又整齊。

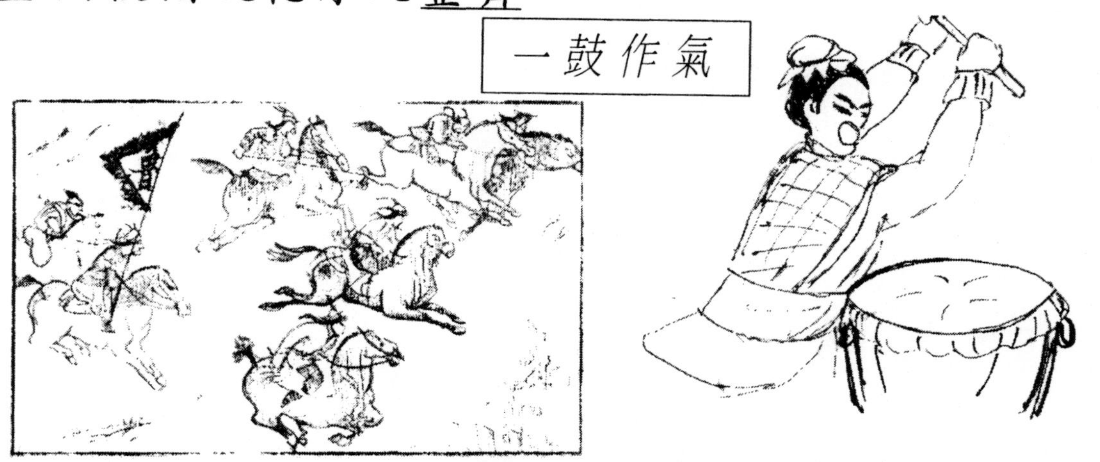

§ 春秋時代/chun qiu shi dai = 770~403 B. C.

§ 齊國&魯國 = The ancient states in what is today's Shan Dong

spring/fall	Qi state	Lu state	a battle	a drum	defeat	all rely on	courage
春／秋	齊國	魯國	打仗	鼓	打敗	全憑	勇氣
chūn/qiū	qí guó	lǔ guó	dǎ zhàng	gǔ	dǎ bài	quán píng	yǒng qì

prosperous	slightly reduced	troops	lose	enemy	naturally	strike while the iron is hot
旺盛	稍減	部隊	喪失	敵人	自然	打鐵趁熱
wàng shèng	shāo jiǎn	bù duì	sàng shī	dí rén	zì rán	dǎ tiě chèn rè

arrange	neat	arrival	prepare	start	campus	a sports meeting	vice principal
整理	整齊	來臨	準備	發動	校園	運動會	副校長
zhěng lǐ	zhěng qí	lái lín	zhǔn bèi	fā dòng	xiào yuán	yùn dòng huì	fù xiào zhǎng

§ 大掃除 =Make a thorough clean up

I. Follow the stroke order and write the complete character in each box.

齊
qí

魯
lǔ

杖
zhàng

鼓
gǔ

憑
píng

勇
yǒng

稍
shāo

旺
wàng

隊
duì

喪
sàng

敵
dí

鐵
tiě

趁

chèn

備

bèi

副

fù

臨

lín

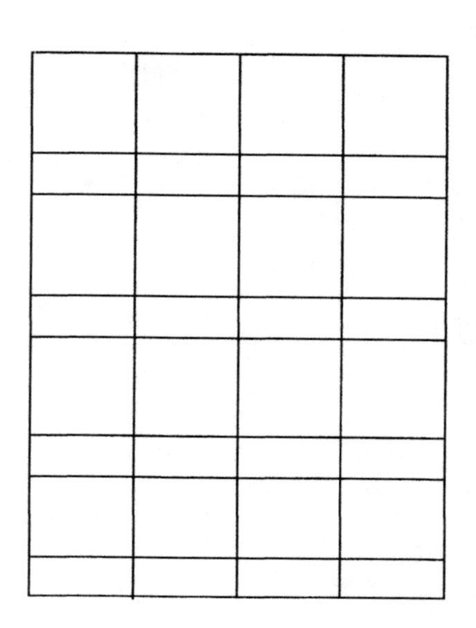

II. Write in Chinese for the following words.

1. Spring/Fall: ______ ______
2. Qi state: ______ ______
3. Lu state: ______ ______
4. A battle:______ ______
5. A drum: ______
6. Defeat: ______ _____

   All rely on: _____ _____

8. Courage: _____ _____
9. Prosperous:______ _____
10. Slightly reduced: ______ ______
11. Troops: ______ ______
12. Lose: ______ ______
13. Enemy: _____ ______
14. Naturally: _____ _____
15. Strike while the iron is hot:

    ______ _____ _____ _____

16. Arrange: ______ _______
17. Neat: ______ _______
18. Arrival: ______ ______
19. Prepare: ______ ______
20. Start:______ ______
21. Campus: ______ ______
22. Sports meeting: _____ _____ _____
23. Vice principal:_____ _____ _____
24. Make a thorough clean up:_____

    _____ _____

III. Fill in Blanks according to the chapter context.

__________，齊國和魯國_____。魯國等_______打第三次___之後，才打第一次鼓。而打完第一次鼓後，______就把齊軍_____了。這是因爲打仗______勇氣，打第一次鼓，軍隊勇氣_____，第二次已經______，第三次_______全沒有了。因此當勇氣正旺盛的_____與_____勇氣的______作戰，______把敵人打敗。

我們做事情也要___________，___________，才會有成功的希望。例如校長_____全校師生_____ _____，爲即將______的運動會做______，此時 ________打鐵趁熱，發動全校_____ _____，大家一鼓作氣，不到一天，整個校園既乾淨又_____。

IV. Fill in the blanks by using the words in section II.

1. 今年的_________我們班上參加多項比賽，只有賽跑得第一名
2. 他因爲忘記帶文房四寶，使他_______了參加書法比賽的機會
3. 春秋戰國時代正當周朝，中國沒有統一，所以有_______和____國
4. 第二次世界大戰，中國的_________包括日本和德國
5. 蔣介石的_________在一九四九年遷移台灣
6. 如果對自己的言行舉止有特別注意，別人______就會尊重你
7. 台灣的夏天很熱，可是_____天和_____天則氣候溫和
8. 這一次考試因爲我沒有_________，所以考得不好
9. 每一次家裏有客人來，媽媽都會叫我_______房間

10. 班上合唱比賽得第一名，大家________又參加了校外比賽

11. 每年除夕以前都要_______，把全年的惡運一掃而光

12. 爲了幫助國家經濟復蘇，政府_____全國愛用國貨運動

13. 全校大掃除，大家_________，連牆都粉刷(fen shua/to paint)了

14. 哥哥精力___________每天放學後都去游泳、打球、跑步和做運動

V. Make a sentence according to the pinyin given.

勇氣：____

qí guó de bù duì quán sàng shī le yǔ dí rén zuò zhàn de yǒng qì

一鼓作氣：____

quán xiào xué shēng yì gǔ zuò qì fā dòng quán xiào dà sǎo chú

打鐵趁熱：____

zuò shì yào dǎ tié chèn rèn, chéng gōng de jī huì cái bǐ jiào dà

來臨：____

shāng diàn máng zhe wèi jí jiāng lái lín de chūn jié zuò zhǔn bèi

稍減：____

tā de yǒng qì bìng méi yǒu yīn wèi bèi dǎ bài ér shāo jiǎn

全憑：____

tā kǎo shì dì yī míng quán píng zì jǐ yùn qì hǎo

VI. Translate the following sentences into Chinese.

1. The Vice-Principal waits until the Principal beats the drum, then dances.

								之	後			

2. The battles among armies fully rely on courage.

3. The first time the courage is prosperous, and the second time it has been slightly reduced, and the third time the courage is all lost.

第	一	次						二					三	

				失	了

4. Doing things should be like striking while the iron is hot so that (you will) have the hope of being successful.

		要												

5. In one tremendous effort everybody **arranged** the campus (to make it) **clean** and **neat**.

大	家	一				把					得			

又		

VII. Rewrite the sentences by replacing the underlined words with different nouns.

1. 副校長一鼓作氣把電腦和車子都賣了（整個校園…整理）

____

2. 與敵人打仗全憑實力不是運氣（作戰…勇氣）

____

3. 打鐵趁熱自然設計圖在一夜間就完成了（敵人…被打敗）

____

4. 奶奶參加歌唱比賽的決心並沒有稍減（勇氣…喪失）

____

VIII. Oral Exercise

Say it in Chinese:

- **The derivation of 一鼓作氣**
- **Giving an example of 一鼓作氣**
- **Making a sentence using the word 一鼓作氣**

二、一暴十寒

戰國時代，孟子對於齊王做事不堅持到底，而且喜歡聽信奸人的話，非常不滿，便不客氣的對他說：「天下雖然有生命力很強的生物，可是放在陽光下曬一天，再放到陰寒的地方凍十天，它哪裏還能活得成呢！」這就是一暴十寒的意思。

如果我們做一件事，開始時只做一點兒，隔了十天之後再去做，事情怎能做得好呢！

一暴十寒正好是一鼓作氣或是打鐵趁熱的相反。例如我們學彈鋼琴，剛開始的時候每天練一個鐘頭，以後漸漸減少爲每天只練半個鐘頭，到後來變成每隔幾天才彈一次，而每一次不到二十分鐘。這就是一暴十寒的作法。

一暴十寒

§ 一暴十寒=一曝十寒

Mencius	to stick out	vitality	discontent	impolite	scoundrel	living things
孟子	堅持到底	生命力	不滿	不客氣	奸人	生物
mèng zǐ	jiān chí dào dǐ	shēng mìng lì	bù mǎn	bú kè qì	jiān rén	shēng wù

sunlight	expose to sunlight	shady & cool	it	freeze	do things by fits & starts	separate
陽光	曬	陰寒	它	凍	一暴十寒	隔
yáng guāng	shài	yīn hán	tā	dòng	yí pù shí hán	gé

play piano	practice	gradually	reduced	every few days
彈鋼琴	練	漸漸	減少	每隔幾天
tán gāng qín	liàn	jiàn jiàn	jiǎn shǎo	měi gé jǐ tiān

I. Follow the stroke order and write the complete character in each box.

孟
mèng

底
dǐ

奸
jiān

光
guāng

曬
shài

寒
hán

凍
dòng

它
tā

暴
pù

隔
gé

彈
tán

鋼
gāng

琴 琴 琴 琴 琴 琴

qín

II. Write in Chinese for the following words.

1. Mencius: _____ _____
2. Stick out: ____ ____ ____ ____
3. Vitality: _____ _____ ____
4. Discontent: _____ _____
5. Impolite: ____ ____ ____
6. Scoundrel: _____ _____
7. Living things: ____ ____
8. Sunlight:_____ _____
9. Expose to sunlight: ______
10. Shady & cool: _____ _____
11. It: ______
12. Freeze: ______
13. Do things by fits & starts:

    _____ _____ _____ _____
14. Separate: ____
15. Play the piano:____ ____ ____
16. Practice: ____
17. Gradually: ____ _____
18. Reduced: _____
19. Every few days: ____ ____

    ____ ____

III. Fill in the blanks according to the chapter context.

戰國時代，______　對於齊王做事不____________，而且喜歡聽信______的話，非常______，便_________的對他說：「天下雖然有________很強的________，可是放在______下_____一天，再放到______的地方_____十天，____哪裏還能活得成呢！」

這就是___________的意思。

如果我們做一件事，開始時只做一點兒，___了十天之後再去做，事情怎能做得好呢！

一暴十寒正好是_________或是__________的相反。例如我們學_________，剛開始的時候每天____一個鐘頭，以後_________ ______為每天只練___________，到後來變成___________才彈一次，而每一次不到二十分鐘。這就是一暴十寒的做法。

IV. Fill in the blanks by using the words in section II.

1. 雜草的 _______ 很強
2. 夏天天氣比較熱，不要在外面 ____ 太陽太久
3. 美國南部氣候比較熱，但是 ________ 充足
4. 媽媽每天叫我 __________ 至少半個鐘頭
5. 我和弟弟每____ 兩天寫一次中文練習
6. 姐姐每天 _____ 鋼琴的時間比我長二十分鐘
7. 這種中藥的份量是一天一包，以後 _________ 減少
8. 他的房子被收歸公有，所以財產 ________ 了很多
9. 屈原被 _______ 所害，最後跳江而死
10. 無論做什麼事一定要 _____________，才會有成功的希望
11. 打鐵趁熱的相反是 ___________________
12. 表姐對他的男朋友選擇出國留學很 ____________
13. 爺爺不喜歡姐姐的男朋友，因此對他說話很 ___________
14. 這些人在山上已經 ____了好幾天
15. 蛇是冷血的動物，喜歡在________ 的地方生活

IV. Make sentences according to pinyin given.

孟子：______________________________

mèng zǐ hé kǒng zǐ dōu shì zhōng guó lì shǐ shàng de wěi rén

一暴十寒：______________________________

zuò shì zǒng shì yí pù shí hán hái bù rú bú zuò

不滿：______________________________

rén mín bù mǎn mǎn qǐng zhèng fǔ yāo qiú nǚ rén bǎng xiǎo jiǎo

堅持到底：______________________________

tā suī rán luò hòu hěn duō, dàn réng rán jiān chí dào dǐ

漸漸減少：______________________________

tā de bù duì yì zhí dǎ bài zhàng, suǒ yǐ rén shù jiàn jiàn jiǎn shǎo

V. Translate the following sentences into Chinese.

Mencius was discontented that the Qi king did not stick out until the end.

		不			王	做		不				

We have been exposed to the sunlight for a day.

		已		在			下		一		了

Aunt teaches me how to play the piano every two days.

		每				就	來		我			

The flowercars parades have been gradually reduced each year.

每		花	車			次	數							了

It was frozen in the shady and cool place for ten days and how could it be alive!

	在			地			了		天	怎	麼		得	

No matter what you do, you must stick out until the end.

無		做			事			要				

VI. Rewrite the sentences by replacing the underlined words with the given words.

做事一暴十寒還不如不做（寫電腦程式）

____

孟子做事一定堅持到底（孔子）

____

生物的生命力比人還強（動物）

____

爲了準備舞蹈比賽，外婆已經在陽光下曬一天了（運動會…副校長）

____

慕名而來的觀光客已經漸漸減少許多（遊客）

____

表姐每隔半個鐘頭練一次中國民族舞蹈（彈…鋼琴）

____

VII. Oral Exercise

Say it in Chinese:

- **The derivation of 一暴十寒**
- **Given an example of 一暴十寒**
- **Making a sentence using the word 一暴十寒**

三、半途而廢

戰國時代有個名叫樂羊的人，到國外求學，過了一年便回來了，他的妻子問他：「你學業完成了嗎？」他說：「還沒有，因爲我想念你，所以先回來了。」他的妻子立刻拿起剪刀將織布機上的布剪斷，說：「這些布是一絲一絲慢慢織成的，如今被剪斷了，前功盡棄，正如你在外求學，半途而廢，過去所花的時間全部浪費了。」樂羊聽了妻子的話，很受感動，從此發奮圖強，終於做了一番事業。

我們一旦決定做一件事情，就要有始有終，不到最後絕對不放棄。例如學西班牙文；學習外語最重要的就是要有堅持到底的決心，如果半途而廢，或不勤於練習，過去所學的很快就會忘得一乾二淨。

A name	school work	scissors	a loom	give up halfway	waste	touch	a kind
樂羊	學業	剪刀	織布機	半途而廢	浪費	感動	一番
yuè yáng	xué yè	jiǎn dāo	zhī bù jī	bàn tú ér fèi	làng fèi	gǎn dòng	yì fān

career	absolute	learning	Spanish	foreign language	not diligent	give up	study
事業	絕對	學習	西班牙文	外語	不勤	放棄	求學
shì yè	jué duì	xué xí	xī bān yá wén	wài yǔ	bù qín	fàng qì	qiú xué

發奮圖強/fā fèn tú qiáng=Strive for progress with determination

前功盡棄/ qián gōng jìn qì=Nullify all the previous efforts

有始有終/yǒu shǐ yǒu zhōng=Carry out an undertaking from start to finish

I. Follow the stroke order and write the complete character in each box.

羊
yáng

奮
fèn

業
yè

剪
jiǎn

刀
dāo

織
zhī

棄
qì

途
tú

廢
fèi

浪
làng

絕
jué

感
gǎn

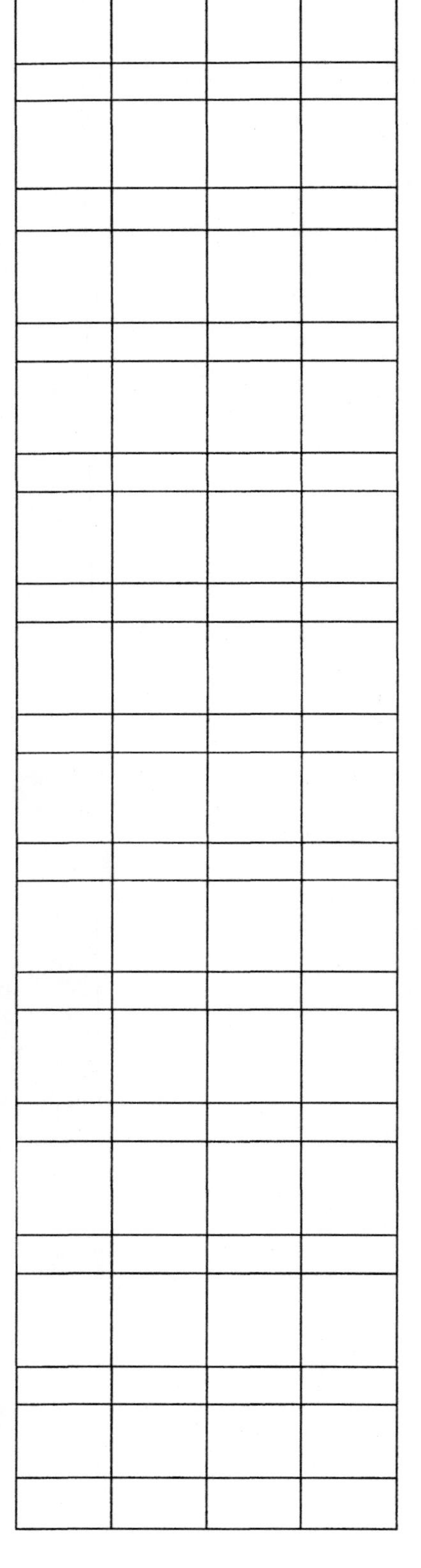

番
fān
勤
qín

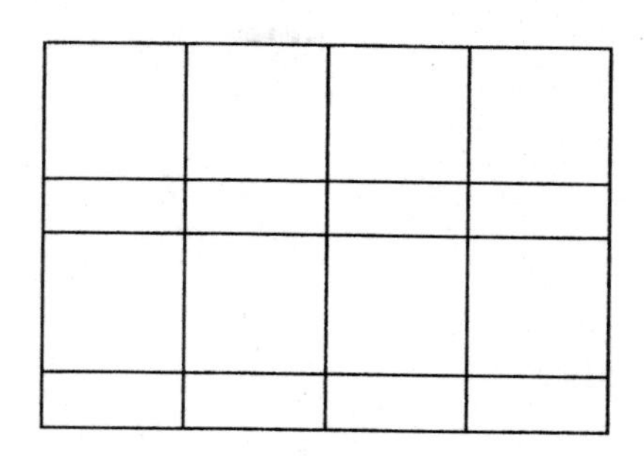

II. Write in Chinese for the following words.

1. A name: ______ ______
2. School work: ______ ______
3. Scissors: ______ ______
4. A loom: ______ ______ ______
5. Give up halfway: ______ ______ ______ ______
6. Waste: ______ ______
7. Touch: ______ ______
8. A kind: ______ ______
9. Career: ______ ______
10. Absolute: ______ ______
11. Learning: ______ ______
12. Spanish: ______ ______ ______ ______
13. Foreign language: ______ ______
14. Not diligent: ______ ______
15. Give up: ______ ______
16. Study: ______ ______
17. Strive for progress with determination: ______ ______ ______ ______
18. Nullify all the previous efforts: ______ ______ ______ ______
19. Carry out an undertaking from start to finish: ______ ______ ______ ______

III. Fill in the blanks according to the chapter context.

戰國時代有個名叫______的人，到國外______，過了一年便回來了，他的妻子問他：「你______完成了嗎？」他說：「

還沒有，因爲我______你，所以先回來了。」他的妻子______拿起______將__________上的布________，說：「這些布是一絲______慢慢織成的，如今被剪斷了，__________，正如你在外求學，______，過去所花的時間全部__________。」樂羊聽了妻子的話，很受______，從此_____________，終於做了______________。

我們一旦_____做_________，就要____________，不到最後__________不_______。例如學___________，_______________最重要的就是要有堅持到底的_______，如果______________，或_______於________，過去所學的很快就會忘得_____________。

IV. Fill in the blanks by using the words in section II.

1. ___________ 的意思是，事情做到一半就放棄不做了
2. 古人衣服自己做，所以家家都有 _____________
3. 現在最普遍流行的外語是 ________________
4. 這部電影使每一個人看了都很受 _____________
5. 伯伯年青時放棄學業，到國外發展了一番 _________
6. 做事有始有終，絕不中途 ________
7. 該用錢的時候就用，但是絕對不能 __________
8. 齊國軍隊 _____________ 終於打敗魯國
9. 這項發明因爲經費短缺，不得不停止，所以_______________
10. 雖然落後還是堅持到底，因爲做事要 ______________

V. Make sentences according to the pinyin given.

浪費：____

nǐ gào shù tā bú yào làng fèi shuǐ diàn

感動：____

dà jiā bèi tā zhào gù zhǎng bèi de xiào xīn suǒ gǎn dòng

發奮圖強：____________________________________

qí jūn fā fèn tú qiáng zhǔn bèi míng nián zài zhàn

有始有終：____________________________________

yé ye jiān chí nián qīng rén zuò shì yào yǒu shǐ yǒu zhōng

前功盡棄：____________________________________

shè jì tú quán bù bèi huǒ shāo guāng, zhēn shì qián gōng jìn qì

半途而廢：____________________________________

shéi shuō zuò shì bàn tú ér fèi de rén néng chéng yì fān shì yè

VI. Translate the following sentences into Chinese.

1. Le yang went to the foreign country to learn the foreign language, but gave up half way.

2. Once decided to do something, (you) must carry it out from start to finish.

3. If you give up halfway, (it) will nullify all the previous efforts.

						則	將				

4. Since then Uncle strived for progress with determination and had made a kind of career at last.

舅						終							

5. (If) you are not diligent to practice the piano very soon (you) will forget totally what you have leraned before.

不						過			學	的	很			

		一		二	

VII. Rewrite the sentences by replacing the underlined words with the given words.

1. 學習<u>西班牙語</u>要勤於練習（外語）

   ____

2. 家庭主婦拿<u>黃金</u>把唐朝皇室的<u>織布機買下</u>（剪刀…絲帶剪斷））

   ____

3. 無論做什麼事情都要<u>堅持到底</u>（有始有終）

   ____

4. 姑媽原希望<u>開中國餐館</u>，但如今<u>一事無成</u>（做一番事業…前功盡棄）

   ____

5. <u>孟母三遷</u>，孟子終於<u>舉世聞名</u>（齊王發奮圖強…受了感動）

   ____

6. 他原本打算秋天<u>寫小說</u>，但是中途<u>放棄</u>了（完成學業…半途而廢）

   ____

VIII. Oral Exercise

Say it in Chinese:

- **The derivation of 半途而廢**
- **Giving an example of 半途而廢**
- **Making a sentence using the word 半途而廢**

四、反求諸己

相傳夏朝時，大禹派他的兒子伯啓抵抗諸侯的侵犯，結果伯啓被打敗了，伯啓的部下不甘心，要求再戰，伯啓說：「我的地不比他小，我的兵不比他弱，結果我打敗仗，這必定是我的德行比他差，我教育部下的方法不如他。我先要找出自己的毛病，努力改正才對。」從此伯啓發奮圖強，一年之後，諸侯不但不來侵犯他，反而歸順他了。

這個故事告訴我們，當失敗的時候，應該要想想看自己的缺點在哪兒，從中改進，同樣的錯誤以後就不會再發生了。

諸侯歸順伯啓

A name	withstand	the feudatory	invade	unwilling	soldiers	weak	morality & conduct
伯啓	抵抗	諸侯	侵犯	不甘心	兵	弱	德行
bó qǐ	dǐ kàng	zhū hóu	qīn fàn	bù gān xīn	bīng	ruò	dé xìng

educate	faults	surrender	strive	correct	should	shortcoming	improve	mistake
教育	毛病	歸順	努力	改正	應該	缺點	改進	錯誤
jiàoyù	máo bìng	guī shùn	nǔ lì	gǎi zhèng	yīng gāi	quē diǎn	gǎi jìn	cuò wù

subordinates	method of making	to make self-examination
部下	作法	反求諸己
bù xià	zuò fǎ	fǎn qiú zhū jǐ

I. **Follow the stroke order and write the complete character in each box.**

啓
qǐ

抵
dǐ

抗
kàng

諸
zhū

侯
hóu

犯
fàn

甘
gān

兵
bīng

弱
ruò

德
dé

育
yù

努
nǔ

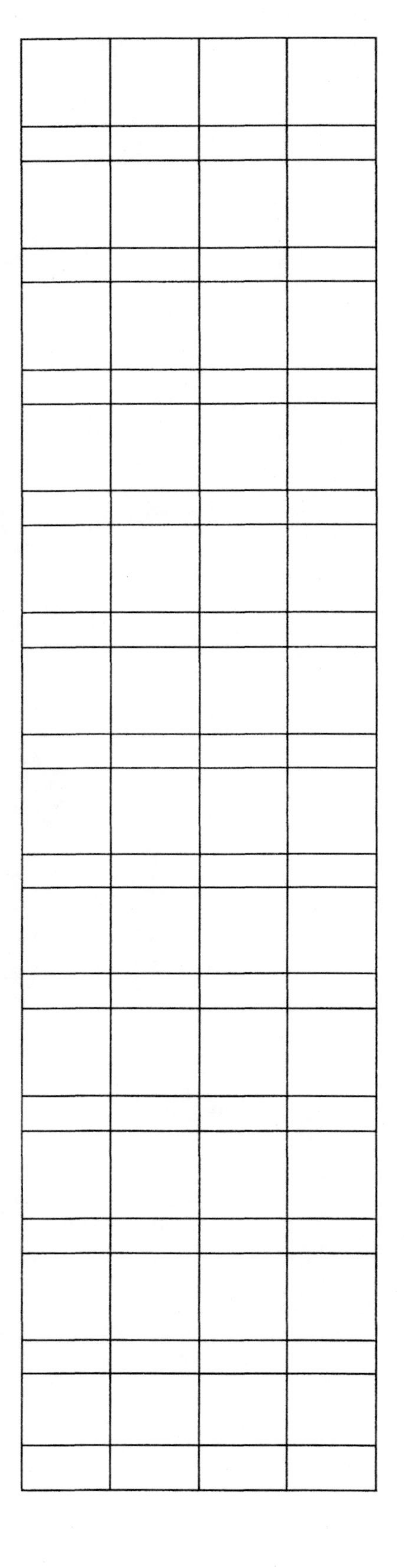

應

yīng

該

gāi

缺

quē

誤

wù

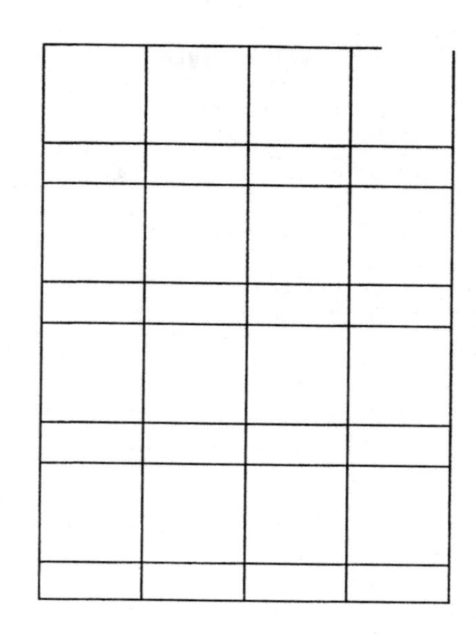

II. Write in Chinese for the following words.

1. A name: _____ _____
2. Withstand: _____ _____
3. The feudatory: _____ _____
4. Invade: _____ _____
5. Unwilling: _____ _____ _____
6. Soldiers: _____
7. Weak: _____
8. Morality & conduct: _____ _____
9. Educate: _____ _____
10. Faults: _____ _____
11. Surrender: _____ _____
12. Strive: _____ _____
13. Correct: _____ _____
14. Should: _____ _____
15. Shortcoming: _____ _____
16. Improve: _____ _____
17. Mistake: _____ _____
18. Subordinates: _____ _____
19. Method of making: _____ _____
20. To make self-examination: _____ _____ _____ _____

III. Fill in the blanks according to the chapter context.

相傳夏朝時，大禹派他的兒子伯啓_______諸侯的_______，結果______被打敗了，伯啓的部下_________，______再戰，伯啓說：「我的地不比他小，我的____不比他____，結果我__________，這必定是我的_______比他_____，我________部下的方法不如他。我先要找出自己的_______，_______ _______才對。」從此伯啓_____________，一年之後，________不但不來侵犯他，反而______他了。

這個故事告訴我們，當失敗的時候，_________要想想看自己的________在哪兒，從中_______，同樣的________以後就不會再發生了。

IV. Fill in the blanks by using words in section II.

1. 婚禮送禮物給人，________使用紅色信封
2. 敵人受到他的感動，全部都來_______他
3. 帶_______打仗，事關人民生命財產，一定要三思而行
4. 發現自己的缺點，一定要勇於_________
5. 因爲將軍戰略__________，所以打敗仗
6. 他的德行很差，諸侯______________歸順他
7. 這次考試考得很差，下次一定要________用功
8. 這些都是未婚者最常見的________，結婚之後就會改正了
9. 這道點心的_________上海人已是耳熟能詳
10. 校長教育我們凡事______________，才會有進步

V. Make sentences according to the pinyin given.

應該：____

yǒu cuò wù jiù yīng gāi lì kè gǎi zhèng

錯誤：____

zhū hóu zuì dà de cuò wù jiù shì bù yīng gāi qīn fàn bié rén

抵抗：____

lǔ guó dài bīng dǐ kàng wài lái de qīn fàn

反求諸己：____________________________________

kǒng zǐ bú duàn jiào yù xué shēng zuò rén yào fǎn qiú zhū jǐ

努力：____

yīn wèi tā de nǔ lì,bù xià shēng huó dé dào hěn dà gǎi jìn

VI. Translate the following sentences into Chinese.

1. Bó Qǐ educates his subordinates making self-examination in everything.

					下	事	事				

2. Bó Qǐ's subordinates are unwilling to surrendering to the feudatory.

3. Korea soliders are not weaker than ours.

4. If (you) make mistakes correct immediately.

有	了			要				

5. Whenever you fail (you) should think about where is your shortcoming.

		時			想		自		的			在	哪	

6. Find the fault and **strive** to correct.

				再				

VII. Rewrite the sentences by replacing the underlined words with the given words.

1. 歐洲人不比我們弱，卻無法預防游牧民族的侵犯（兵…抵抗…諸侯）

____

2. 阿拉伯人很希望學習中國的造紙技術（努力…軍事教育）

____

3. 發現新方法較難，改進新技術較容易（錯誤…缺點）

____

4. 得意的時候不應該忘記失意的日子（成功…失敗）

____

5. 天才是靠九分的奮鬥（成功…努力）

____

6. 德行差的人，失敗必定反怪別人（高…反求諸己）

____

VIII. Oral Exercise

Say it in Chinese:

- **The derivation of** 反求諸己
- **Giving an example of** 反求諸己
- **Making a sentence using the word** 反求諸己

五、舉一反三

孔子在中國文化史上，被稱爲聖人，他不但是傑出的歷史學家，而且是偉大的教育家，傳說他門下有弟子三千多人。

有一天孔子對弟子説：「我舉出桌子的一個角，如果不能聯想桌子其他三個角的學生，我就不教他。」孔子認爲學習應該要完全了解，才能夠靈活運用知識。如果老師舉出一個例子，不能聯想到類似的三個例子的學生，他覺得學習不夠認眞，因此不願意教他。

有人將聞一知十與舉一反三並用，它們是同樣的意思。我們不僅是在追求學問或知識上要做到舉一反三，在做人做事方面，也應該根據舉一反三的道理，多思考與靈活運用。

A saint	outstanding	educator	student	table	angle	associated	consider	totally
聖人	傑出	教育家	弟子	桌子	角	聯想	認爲	完全
shèng rén	jié chū	jiào yù jiā	dì zi	zhuō zi	jiǎo	lián xiǎng	rèn wéi	wán quán

understand	flexible	example	similar	serious	want	use together	not only	according to
了解	靈活	例子	類似	認眞	願意	並用	不僅	根據
liǎo jiě	líng huó	lì zi	lèi sì	rèn zhēn	yuàn yì	bìng yòng	bù jǐn	gēn jù

pursue	behave & handle things	reason	think	to learn one thing & know ten
追求	做人做事	道理	思考	聞一知十
zhuī qiú	zuò rén zuò shì	dào lǐ	sī kǎo	wén yī zhī shí

I. Follow the stroke order and write the complete character in each box.

舉
jǔ

聖
shèng

傑
jié

桌
zhuō

角
jiǎo

解
jiě

靈
líng

似
sì

聞
wén

僅
jǐn

根
gēn

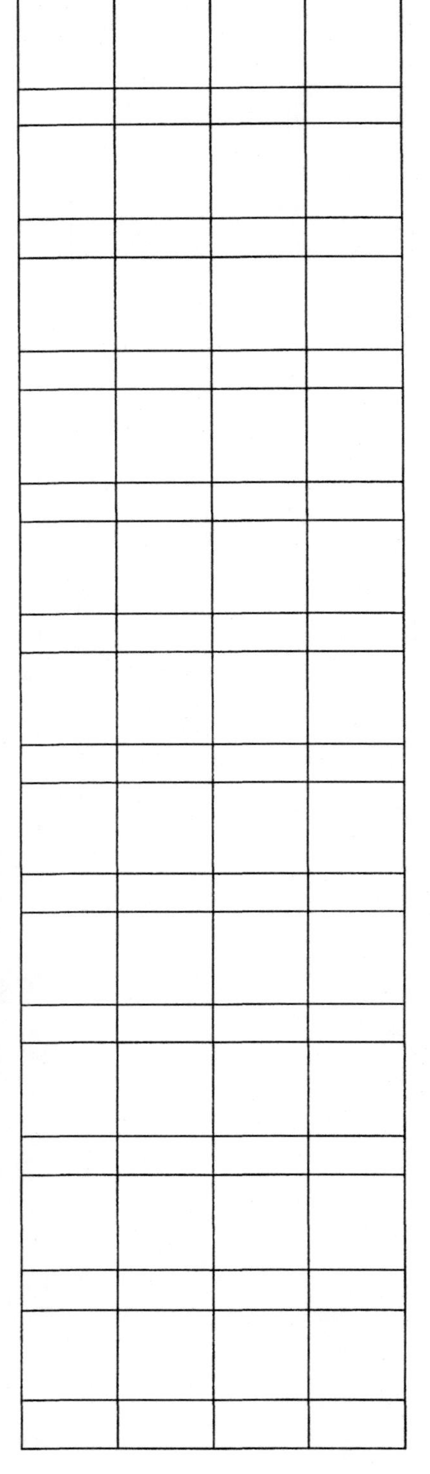

II. Write in Chinese for the following words.

1. A saint: ______ ______
2. Outstanding: ______ ______
3. Educator: ____ ____ ____
4. Student: ____ ______
5. Table: _____ _____
6. Angle: ______
7. Assocated: _____ _____
8. Consider: _____ _____
9. Totally: _____ _____
10. Understand: ____ ____
11. Flexible: ____ _____
12. Example: _____ _____
13. Similar: _____ _____
14. Serious: _____ _____
15. Want/willing to : _____ _____
16. Use together: _____ _____
17. Not only: _____ _____
18. According to: ____ ____
19. Pursue: _____ _____
20. Behave & handle things: _____ _____ _____ _____
21. Reason: _____ ______
22. Think: _____ _____
23. To learn one thing & know ten: _____ _____ _____ _____

III. Fill in the blanks according to the chapter context.

孔子在中國文化史上，被稱爲______，他不但是______的_____學家，而且是偉大的________，傳說他門下有_____三千多人。有一天孔子對弟子說：「我舉出_______的一個____，如果不能_______桌子其他三個角的學生，我就不教他。」孔子________學習應該要___________，才能夠_______運用知識。如果老師_______一個_______，不能聯想到_______的三個例子的學生，他覺得學習不夠______，因此不________教他。

有人將_____________與舉一反三_______，它們是同樣的意思。

我們_______是在______學問或知識上要做到舉一反三，在____ _______方面，也應該________舉一反三的_______，多______與靈活運用。

IV. Fill in the blanks by using the words in section II.

1. 孟子和孔子都被後人尊稱爲 _________
2. 國父孫文先生是很 __________ 的革命實行家
3. 他的家族都是__________，在教育界創立了一番事業
4. 毛筆的製作過程與油畫畫筆很______
5. 老師要求學生作學問要思想 _____ 以便能夠舉一反三
6. 這個問題很複雜，不容易 ________
7. 象形字是 _______ 事物的形狀而造成
8. 發明家是最懂得手腦________ 的人
9. 只要你 _____ 努力改正毛病，同樣的錯誤就不會再發生
10. 「有始有終」是做人做事最基本的_______
11. 追求知識應該不斷____ 以求完全了解而達到聞一知十
12. 他最大的缺點就是做事不夠 ______，經常半途而廢
13. 學生與______是同樣的意思
14. 每想到打鐵趁熱就_______ 到一鼓作氣的成語
15. 追求學問要能夠____________才算眞正了解

V. Making sentences according to the pinyin given.

桌子…角：____

zhuō zi yǒu sì ge jiǎo, qiáng yě yǒu sì ge jiǎo

靈活：____

tā de tóu nǎo líng huó hǎo xiàng diàn nǎo yí yàng

類似：____

nǐ néng bù néng jǔ chū jǐ ge lèi sì de lǐ zi

不僅：____

zhè běn xiǎo shuō bù jǐn gǎn dòng rén xīn, gù shì yě yǒu shì shí gēn jù

不但…而且：____

xué xí bú dàn yào rèn zhēn ér qiě yǐng gāi wán quán liǎo jiě

VI. Translate the following into Chinese.

1. "Giving one example coming up with three similar ones" is similar to the meaning of "learning one thing and knowing ten".

					思	和						

2. Conficius considered that learning should be fully understand.

3. Please give (me) a similar example.

		出					的		

4. "Pursuing knowledge" and "behaving & handling things have the same principle (reason).

		學							是	同			

5. (You) not only totally understand but also flexibly use it.

						而					

VII. Rewrite the sentences by replacing the underlined words with given words.

1. 追求學問應該能夠<u>聞一知十</u>（舉一反三）

   ____

2. 有人認為「<u>倉頡造字</u>」的說法是沒有<u>根據</u>的（人是萬物之靈…道理）

   ____

3. <u>聞一知十</u>和<u>舉一反三</u>是同樣的道理（打鐵趁熱…一鼓作氣）

   ____

4. 我們日常生活中可發現很多<u>大自然</u>的<u>傑作</u>（類似…例子）

   ____

5. 他是一個<u>天生</u>的<u>教育家</u>（傑出…歷史考古學家）

   ____

VIII. Oral Exercise

Say it in Chinese:

- **The section VII**
- **The derivation of 舉一反三**
- **Making a sentence using the word 舉一反三**

六、司空見慣

唐朝時候有一個寫文章和詩詞都很出色的人，名叫劉禹錫。有一天一個姓李，而且曾經做過司空官職的人，很仰慕劉禹錫，就邀請他去飲酒作樂。在飲酒期間，劉禹錫一時興起，便做了一首詩，這首詩裏用了司空見慣這四個字。

司空是古代的一種官職名稱，整句成語的意思，就是指事情經常見到，不必覺得奇怪。尤其用在偶然發生，但又常常遇到的事情。例如，男生穿裙子，通常人們會大驚小怪，但是在蘇格蘭卻已是司空見慣。

Article	outstanding	poetry	a person's name	admire	invite	drink wine & have fun
文章	出色	詩詞	劉禹錫	仰慕	邀請	飲酒作樂
wén zhāng	chū sè	shī cí	liú yǔ xī	yǎng mù	yāo qǐng	yǐn jiǔ zuò lè

sentence	idiom	strange	unexpectedly	run into	Scotland	especially	excited at that time
句	成語	奇怪	偶然	遇到	蘇格蘭	尤其	一時興起
jù	chéng yǔ	qí guài	ǒu rán	yù dào	sū gé lán	yóu qí	yì shí xīng qǐ

I. Follow the stroke order and write the complete character in each box.

章

zhāng

詞

cí

劉

liú

錫

xi

仰

yǎng

邀

yāo

飲

yǐn

酒

jiǔ

句

jù

奇

qí

偶

ǒu

遇

yù

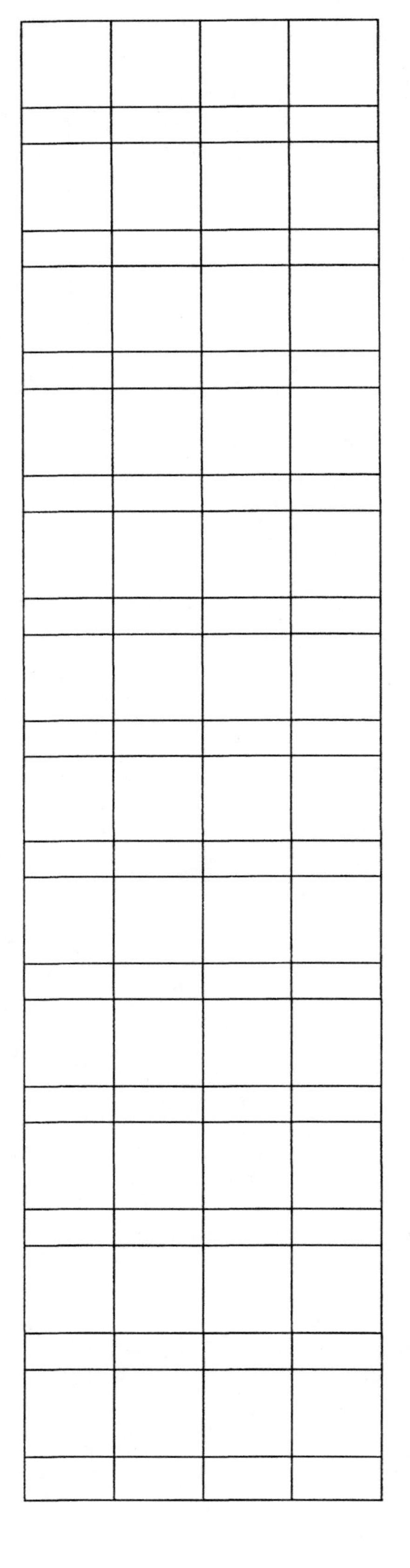

蘇蘇蘇蘇蘇蘇
sū
格格格格格格
gé
蘭蘭蘭蘭蘭蘭蘭
lán

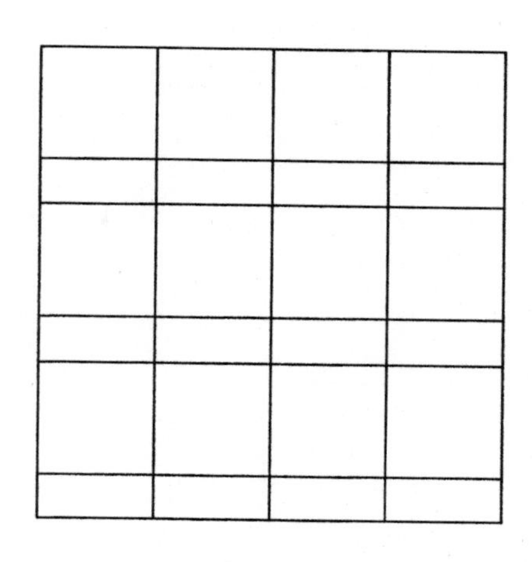

II. Write in Chinese for the following words.

1. Article: ____ ____
2. Outstanding: ____ ____
3. Poetry: _____ _____
4. A person's name: ____ ____ ____
5. Admire: ____ ____
6. Invite: _____ _____
7. Drink wine & have fun:
   _____ _____ _____ _____
8. Sentence: ____
9. Idiom: ____ ____
10. Strange: ____ ____
11. Unexpectedly: ____ ____
12. Run into: ____ _____
13. Scotland: _____ _____ ____
14. Especially: ____ ____
15. Excited at that time:
    ____ ____ ____ _____

III. Fill in the blanks according to the chapter context.

唐朝時候有一個寫____和_____都很_____的人，名叫________。

有一天一個姓李，而且曾經做過司空______的人，很______劉禹錫，就______他去__________。在飲酒期間，劉禹錫 ______

______，便做了一首詩，這首詩裏用了____________這四個字。司空是古代的一種官職名稱，____________的意思，就是指事情經常見到，不必覺得_______。______用在______發生，但又常常_______的事情。例如，男生穿______，通常人們會____________，但是在__________卻已是司空見慣。

IV. Fill in the blanks by using the words in section II.

1. 貓王是六十年代美國最著名的歌星，有許多人 _______ 他
2. ________ 雖然是著名詩人，但是德行不高
3. 年輕人不應該 ____________ ，尤其酒後開車更要不得
4. 舅媽 ____________ 戴上紅帽子參加國慶日遊行
5. _________ 是大英帝國的一部份
6. 她不但是傑出詩人 ，文章寫得更 _________
7. 美國男人戴綠帽子實在是 ____________ 不必大驚小怪
8. 這個句子唸起來好 ________ ，不像是劉禹錫寫的
9. 昨天放學回家路上 ________ 多年不見的老朋友
10. 今天在餐館 _______吃到一道江浙菜，道地極了
11. 這家餐館的四川菜口味 _______ 辣
12. 明天是我的生日，我想 ______ 大家到中國城飲茶

V. Make sentences according to the pinyin given.

出色：____

yé ye nián qīng shí shì yì míng hěn chū sè de yùn dòng yuán

司空見慣：____

sī kōng jiàn guàn yě jiù shì jiàn guài bú guài de yì si

偶然：____

kǒng zi zhōu yóu liè guó ǒu rán yù jiàn qí wáng

尤其：____

ōu zhōu guó jiā tè bié yīn hán yóu qí yī yuè fèn de shí hòu

大驚小怪：____

tā yǐn jiǔ zuò lè, dà jiā zǎo jiù sī kōng jiàn guàn bú bì dà jīng

____

xiǎo guài

VI. Translate the following sentences into Chinese.

I admire him so I invited him to drink wine and have fun.

This article is strange and does not (look) like Liu Yu Xi wrote it.

							不						的

Mr. Zhang was excited at that time (and) invited Miss Liu to the movie.

												看		

It is common that in Scotland men wear skirts.

				人				早	已				

(If you) run into the police in a popular place of sightseeing, don't be surprised.

在									不		大		小	

Every article of Liu Yu Xi's is very outstanding.

			的		篇			都			

VII. Rewrite the sentences by replacing the underlined words with the given words.

1. 警察飲酒作樂在阿拉伯已是司空見慣（穿裙子…蘇格蘭）

____

2. 文章內容複雜不容易懂（整句成語）

____

3. 老一輩的中國人綁小腳很普遍，不必大驚小怪（寫詩詞）

____

4. 我在歐洲偶然遇見一個親戚 （東南亞…一件很奇怪的事）

____

5. 我一時興起邀請他來上海玩（飲酒作樂）

____

VIII. Oral Exercise

Say it in Chinese:

- **The derivation of 司空見慣**
- **Giving an example of 司空見慣**
- **Making a sentence using the words 司空見慣**

七、紙上談兵

戰國時代，趙國大將有一個兒子名叫趙括，年青時已熟讀詩書，即使他父親和他談論用兵之道，也不能難倒他，但是他的父親卻說他不能當大將。因爲用兵關係國家安危，而他卻看得太容易。後來在與秦國交戰時，趙括果然中箭而死，他所帶的四十萬趙軍，也在一夜之間全被殺光。

明朝時，有人寫詩嘲笑此事，說那些只知道死讀書，而不知實際運用的人是紙上談兵者。後來的人也將紙上談兵解釋爲；在時機尚未成熟，卻要大談應該怎麼做的情況。

紙上談兵

discuss	a name	important general	young	method	fell	safety	shot by an arrow
談論	趙括	大將	年青	道	倒	安危	中箭
tán lùn	zhào guā	dà jiàng	nián qīng	dào	dǎo	ān wéi	zhòng jiàn

as one expected	mature	laugh at	explain	opportunity	not yet	to kill	real	situation
果然	成熟	嘲笑	解釋	時機	尚未	殺死	實際	情況
guǒ rán	chéng shóu	cháo xiào	jiě shì	shí jī	shàng wèi	shā sǐ	shí jì	qíng kuàng

I. Follow the stroke order and write the complete character in each box.

談

tán

趙

zhào

括

guā

青

qīng

倒

dǎo

危

wéi

箭

jiàn

殺

shā

嘲

cháo

釋

shì

尚

shàng

未

wèi

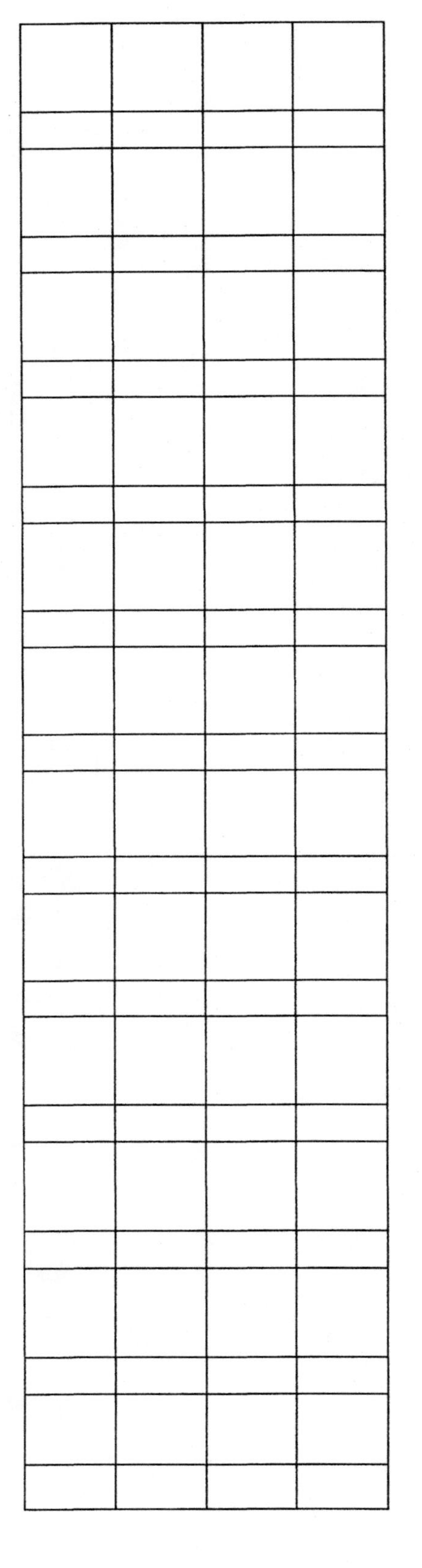

況氵 氵冖 況
kuàng
際阝 阝夕 阝癶 阝祭 際 際
jì
之 之 之 之
zhī

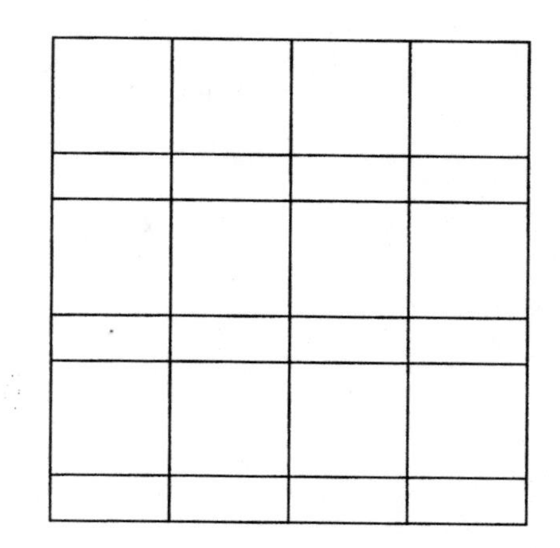

II. Write in Chinese for the following words.

1. Discuss: _____ _____
2. Mature: _____ _____
3. A name: _____ _____
4. Important: _____ _____
5. General: _____ _____
6. Young: _____ _____
7. Method: _____
8. Fail: _____
9. Safety: _____ _____
10. Shot by an arrow: _____ _____
11. As one expected: _____ _____
12. Laughed at: _____ _____
13. Explain: _____ _____
14. Opportunity: _____ _____
15. Not yet: _____ _____
16. To kill: _____ _____
17. Real: _____ _____
18. Situation: _____ _____

III. Fill in the blanks according to the chapter context.

戰國時代，趙國_______有一個兒子名叫________，______時已

讀詩書，即使他父親和他_______用兵_______，也不能_______他

，但是他的父親卻說他不能當大將。因爲用兵________國家____ ____，而他卻看得太________。後來在與秦國交戰時，趙括____ _____ ________而死，他所帶的四十萬趙軍，也在一夜之間全被________。

明朝時，有人寫詩________此事，說那些只知道__________，而不知________運用的人是_______________者。後來的人也將紙上談兵_________爲；在_________ _________ _________，卻要大談應該怎麼做的________。

IV. Fill in the blanks by using the words in section II.

1. 尤其與軍事有關的國家大事，不可以在公共場所________
2. 趙括的父親是趙國的一名 __________
3. 現在是買賣房子最好的 __________
4. 葡萄尚未 _________，還不能做葡萄酒
5. 他是傑出青年，爲什麼會殺人，沒有人能__________
6. 大總統出生入死，早已忘記自己的___________
7. 蘇同學成績出眾，_________ 拿了第一名
8. 喜歡 ________ 別人的人，德行必定很差
9. 報紙所報導的新聞都是根據 _____ 情況
10. 父親去世之後，他們經濟________大不如前
11. 不明白實際情況，_________ 只是浪費時間
12. 養生________，不僅要早睡早起，飲食還要定時定量

V. Answer the questions in Chinese.

1. 只會空談應該怎麼做，遇到事情發生卻不會應付的成語叫：

   【　　　　　　　　　】

2. 家庭主婦罵小孩，見怪不怪，可用哪句成語來形容？
   【　　　　　　　　　】

3. 表哥做事三天打漁兩天曬網(net)，哪句成語最適合這個情況？
   【　　　　　　　　　】

4. 趙同學每當失敗就怪別人，你會送給他哪句成語？
   【　　　　　　　　　】

5. 老師最喜歡反應靈活的學生，也就是什麼樣的學生？
   【　　　　　　　　　】

6. 小章小說寫了一半，後來因爲結婚而放棄了。這種情況可用哪句成語來形容？
   【　　　　　　　　　】

VI. Make sentences according to the pinyin given.

1. 即使…也不：______________________________
   zhào guó dà jiàng jí shǐ zhòng jiàn yě bú fàng qì

2. …卻：______________________________
   tā suī shóu dú shī shū què bù zhī zěn me jiě shì zhè jù chéng yǔ

3. 果然：______________________________
   pú táo guǒ rán zài yí yè zhī jiān chéng shú le

4. 只知…而不知：______________________________
   zhǐ zhī sǐ dú shū ér bù zhī líng huó yùn yòng yǒu rú zhǐ shàng

______
tán bīng

5. 難倒：______________________________
   tā shì shù xué tiān cái zài nán de wèn tí(題) yě bù néng nán dǎo tā

VII. Translate the following into Chinese.

1. Zao Gua was familiar with poetry when he was young.

				時	已				書

2. Even his father couldn't fail him when discussing the military matters with him.

		父		和	他									

		他

3. The president's safety relates to the whole nation: however, he does not seem to take it seriously.

						全		他		看	得			

4. He, as we expected, only knows to **discuss it on the paper** but does not know how to use it in the real situation.

他			只	知					而						

5. The opportunity (time) is not here yet: discussing is only wasting time.

時			未	成				只	是				

VIII. Rewrite the sentences by replacing the underlined words with the given words.

1. 大難當頭，光是紙上談兵於事無補（總統安危）

____

2. 整個公司都在談論昨天的報紙（部隊…消息）

____

3. 葡萄尚未成熟，不應該賣給人家（時機… 出兵打仗）

---

4. 光會紙上談兵是讀死書的作法（不成熟）

---

5. 百貨市場在一夜之間全被燒光（四十萬趙軍…殺）

IX. Oral Exercise.

Say it in Chinese:

- **The derivation of** 紙上談兵
- **Giving an example of** 紙上談兵
- **Making a sentence using the word** 紙上談兵

八、差強人意

後漢光武帝時，經常受到外侮的侵略，將領們都驚慌失措，不知如何抵抗外來的侵略。有一天，漢光武帝忽然想起了名將吳漢，於是派人去打聽吳漢的情況。不久那人回報說：「吳漢正率領部下修理戰具武器呢！」光武帝仔細想想，然後讚嘆道：「吳公差強人意！」後人就引用差強人意爲成語。

「差強人意」意思就是說；對於某人或某事雖然不十分滿意，但覺得略可，便稱差強人意。例如，班上學生成績都很差，只有一兩個比較好一些，這兩個學生的情形就可說是差強人意。

§ 後漢光武帝(AD 25~57)　　§ 驚惶失措=驚慌失措

foreign aggression	how to	invade	panic	general	to lead	repair
外侮	如何	侵略	驚慌失措	將領	率領	修理
wài wǔ	rú hé	qīn luè	jīng huāng shī cuò	jiàng lǐng	shuài lǐng	xiū lǐ

gasp in admiration	quote	sastisfy	acceptable	suddenly	someone	grade	carefully
讚嘆	引用	滿意	略可	忽然	某人	成績	仔細
zàn tàn	yǐn yòng	mǎn yì	luè kě	hū rán	mǒ rén	chéng jī	zǐ xì

I. Follow the stroke order and write the complete character in each box.

侮
wǔ

略
luè

驚
jīng

慌
huāng

措
cuò

率
shuài

讚
zàn

嘆
tàn

忽
hū

何
hé

仔
zǐ

細
xì

某 某 某 某 某
mǒu
引 引 引 引 引
yǐn
績 績 績 績 績 績
jī

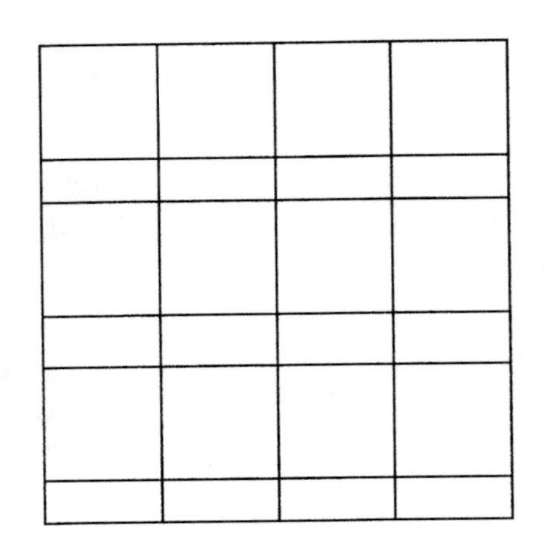

II. Write in Chinese for the following words.

1. Foreign aggression: ______ ______
2. How to:______ ______
3. Invade: ______ ______
4. Panic:_____ ______ _____ ______
5. General:_____ _____
6. Carefully:_____ _____
7. To lead: _____ ______
8. Repair:______ ______
9. gasp in admiration: ______ ______
10. Quote:______ ______
11. Sastisfy: ______ ______
12. Acceptable:______ ______
13. Suddenly: _____ ______
14. Someone: _____ ______
15. Grade: ______ ______

III. Fill in the blanks according to the chapter context.

______________時，經常受到_______的_______，_______們都

___________，不知_______ _______外來的侵略。有一天，漢光

武帝_______想起了名將吳漢，於是派人去_______吳漢的_____

，不久那人回報說：「吳漢正_______部下_______戰具武器呢

！」光武帝_______想想，然後_________道：「吳公差強人意

！」後人就________差強人意爲_______。

「__________」意思就是說；對於_______或某事雖然不十分_____，但覺得________，便稱差強人意。例如，班上學生________都很差，只有一兩個比較好一些，這兩個學生的________就可說是差強人意。

IV. Fill in the blanks by using the words in section II.

1. 我們國際舞蹈比賽的成績雖然不十分令人滿意，但是_______
2. 姑姑的電腦壞了，請爸爸去幫她__________
3. 自從被警察叫去問話後，他只要一看到警察就_______________
4. 見到萬里長城工程的偉大，不得不 ________中國人的能力
5. 因爲有下功夫準備考試，所以________十分令人滿意
6. 請再 ________想想，趙括是什麼人物
7. 將領的首要工作就是_________部隊打仗，保護國家
8. 剛才還出著太陽，怎麼______下起雨來了
9. 壞人向警察報告說他在某年某月某日在____ 家裏做了某事
10. 你不會用電腦怎麼知道_______修理電腦

V. Make sentences according to the pinyin given.

侵略：____

chánɡ chénɡ shì wèi dí kànɡ wài wǔ de qīnɡ luè ér jiàn zào

驚慌失措：____

pínɡ chánɡ yǒu zhǔn bèi yù dào kǎo shì jiù bú huì jīnɡ huānɡ

____

shī cuò

差強人意：______________________________

Liú shú shu de wén zhāng bú shì xiě de hěn hǎo dàn chā qiáng rén yì

引用：______________________________

Zhào tóng xué xǐ huān yǐn yòng gǔ dài de shī cí lái cháo xiào bié rén

如何：______________________________

qǐng zǐ xì xiǎng xiǎng zhè liǎng ge nián qīng rén shì rú hé rèn shì de

VI. Translate the following into Chinese.

1. In the Qin dynasty China was often invaded by the foreign aggression.

		中										

2. Generals all panic that do not know how to withstand the invation.

3. After carefully thinking, he gasps in admiration, “the grade is O.K.”.

他										成				人	

4. The teacher quoted the Vice Principal’s words, “Make self-examination”.

							的		：「					。」

5. Although (I) am not perfectly satisfied with his grade, it is acceptable.

		不					他					覺			

VII. Rewrite the sentences by replacing the underlined words with the given words.

1. 差強人意的意思也就是<u>馬馬虎虎</u>（略可接受）

____

2. 提到<u>考試</u>同學們個個驚慌失措（比賽）

____

3. 副校長正領導同學打掃校園呢（將領們⋯部隊⋯仗）

____

4. 孟子對學生德行雖然不十分滿意但覺得略可（後漢光武帝⋯吳漢）

____

VIII. Make your own sentences by using the given words.

1. 雖然⋯但覺得：______________________________

2. 驚慌失措：______________________________

3. 不知如何：______________________________

4. 仔細⋯然後：______________________________

IX. Oral Exercise.

Say it in Chinese:

- **The derivation of** 差強人意
- **Giving an example of** 差強人意
- **Making a sentence using the word** 差強人意

九、道聽途説

艾子是春秋戰國時代的人，有一天毛空告訴他說：「有一個人家的鴨子一次生了一百個鴨蛋。」艾子不相信，毛空於是改口說：「是兩隻鴨生的蛋。」艾子還是不相信，毛空又改口：「是三隻鴨子生的蛋。」毛空見艾子總是不相信，就一次一次把鴨子增加到十隻。緊接著毛空又吹牛道：「上個月天上掉下一塊肉，有三十丈長，十丈寬。」同樣的艾子不相信，毛空就改口，一直減到十丈長。艾子忍不住了，問他說：「你剛才說的鴨子是誰家的？那塊肉又掉在什麼地方？」毛空老實回答說：「我聽人家說的。」艾子馬上轉過臉對學生說：「你們可不要像他這樣道聽途說呀！」此後，大家就把隨便聽來，沒有根據的傳聞叫做「道聽途說」

§ 丈=slightly longer than 10 feet

§ 道聽途説=道聽塗説

A name	duck	egg	believe	increase	brag	fall down	meat	width
艾子	鴨子	蛋	相信	增加	吹牛	掉下	肉	寬
ài zǐ	yā zi	dàn	xiāng xìn	zēng jiā	chuī niú	diào xià	ròu	kuān

can't stand it any more	honest	answer	careless	rumor	immediately afterward
忍不住	老實	回答	隨便	道聽途説	緊接著
rěn bú zhù	lǎo shí	huí dá	suí biàn	dào tīng tú shuō	jǐn jiē zhe

I. Follow the stroke order and write the complete character in each box.

艾
ài

鴨
yā

蛋
dàn

增
zēng

緊
jǐn

吹
chuī

牛
niú

丈
zhàng

寬
kuān

掉
diào

答
dá

隨
suí

途

tú

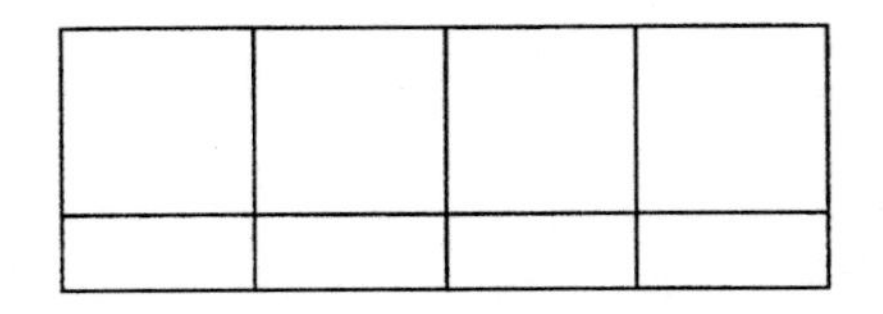

II. Write in Chinese for the following words.

1. A name: _____ _____
2. Duck: _____ _____
3. Egg: _____
4. Believe: _____ _____
5. Increase: _____ _____
6. Brag: _____ _____
7. Fall down: _____ _____
8. Meat: _____
9. Width: _____
10. Can't stand it any more: ____ ____ ____
11. Honest: _____ _____
12. Answer: _____ _____
13. Careless: _____ _____
14. Rumor: _____ _____ _____ _____
15. Immediately afterward: _____ _____ _____

III. Fill in the blanks according to the chapter context.

艾子是____________時代的人，有一天毛空告訴他說：「有一個人家的_______一次生了一百個_______。」艾子不_______，毛空______改口說：「是_____鴨生的蛋。」______還是不相信，毛空又_______：「是三隻鴨子生的蛋。」毛空見艾子_____不相信，就一次一次把鴨子________到十隻。_________毛空又_______道：「上個月天上_______一塊肉，有三十______，十丈_____。」同樣的艾子不_______，毛空就改口，一直_____十丈長。艾子_________了，問他說：「你_______說的鴨子是_____

的？那________又掉在什麼地方？」毛空________ ________說：「我聽人家說的。」艾子馬上__________對學生說：「你們可不要像他這樣__________呀！」此後，大家就把________聽來，沒有________的________叫做「道聽途說」

IV. Fill in the blanks using the words in section II.

1. 小朋友不應該 ________ 和不認識的人講話
2. 你覺得毛空說的是實話還是 ________
3. 你相信十隻鴨子能生一百個 ______ 嗎
4. 不經過大腦思考就隨便 ______ 別人的話，實在不夠成熟
5. 看弟弟驚慌失措的樣子，我 ________ 笑了出來
6. 說完這個故事，副總統________又說了另外一個故事
7. 這份報紙寫的都是 ____________ 的消息，不值得相信
8. 毛空無法解釋天上為什麼會 ______ 一塊肉
9. 中國的一 ______ 長比十英尺(feet)稍長
10. 自由女神像穿的裙子, 少說也有十丈長九丈 ______
11. 他的身高從去年到現在已經________了十二公分
12. 這個問題太難了，沒有人知道如何 ________

V. Translate the following sentences into Chinese.

1. Confucius told the students "Don't give someone something you don't want".

						己		不					人

2. Although Mao Kong changed his words again and again Ai zi never believed him.

				一	再							不		

3. He brags immediately afterward "Her hair is ten *zhang* long".

				又				她	的					

4. Ai zi answered honestly "I can not explain".

							：「		無	法			。」

5. He turned around and told me "Don't **believe** him."

				來		我		：「	不					。」

VI. Rewrite the sentences by replacing the underlined words with given words.

1. 你們不要隨便相信別人的道聽途說（沒有根據…傳聞）

2. 艾子緊接著，將謎底不小心說了出來（忍不住…老實）

3. 這道牆有十英尺高，八英尺厚（條運河…丈長…丈寬）

4. 你們不要一再改口，沒有人會相信你們的（一直增加問題…回答）

5. 你剛才說的鴨子，是誰家的（天上掉下一塊肉…說）

VII. Make sentences using the given words.

1. 緊接著：____

2. 一直：____

3. 不要隨便：____

4. 忍不住：____

VIII. Oral Exercise.

Say it in Chinese:

- **Section VI**
- **The derivation of 道聽途說**
- **Making a sentence using the word 道聽途說**

十、後來居上

西漢時候，漢武帝面前有一個官員，說話直率，經常向武帝提出規勸性的話，使得武帝很不耐煩，就把他調到外地去。後來聽說他在外地的表現很好，就又把他調回京城。可是武帝仍然不喜歡他的直率，因爲忠言逆耳。

有一天，他眼見原來比他職位小的官，一個個都升得比他快，就忍不住對武帝說：「你用人好比堆積柴草，把後來的放在上面。」原句是「後來居上」。

後人就以「後來居上」，表示後來的人反而得到較高的職位或成績。例如，新進的青年科學家，勤奮工作，努力研究，結果成就超過了老科學家，這就是後來居上的例子。又如運動會賽跑，原來落後的同學，忽然趕上來，成了第一名，也是後來居上的例子。相信在日常生活中，大家可以找到很多後來居上的實例。

offcial	frank	admiration	impatient	transfer	promote	to pile	firewood
官員	直率	規勸性	不耐煩	調	升	堆積	柴
guān yuán	zhí shuài	guī quàn xìng	bú nài fán	diào	shēng	duī jī	chái

scientist	catch up	diligent	study	still	the latecomer ends up in the front
科學家	趕上	勤奮	研究	仍然	後來居上
kē xué jiā	gán shàng	qín fèn	yán jiù	réng rán	hòu lái jū shàng

§ 西漢武帝（141~87 B. C.）§ 忠言逆耳= Honest advice is grating on the ear

I. Follow the stroke order and write the complete character in each box.

勸

quàn

性

xìng

耐

nài

調

diào

逆

nì

升

shēng

堆

duī

積

jī

柴

chái

居

jū

科

kē

趕

gǎn

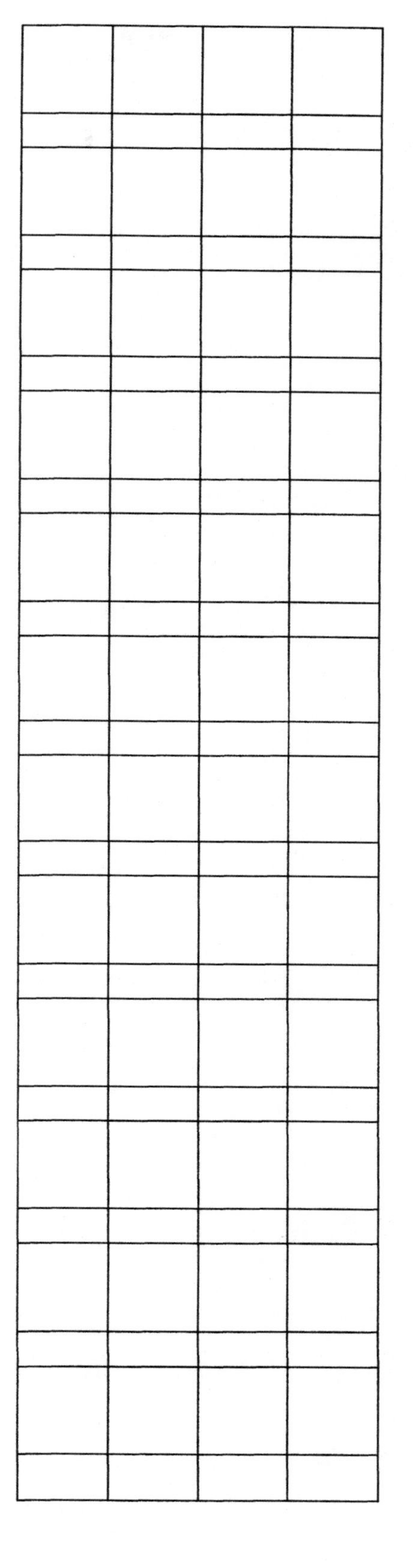

勤

qín

研

yán

究

jiù

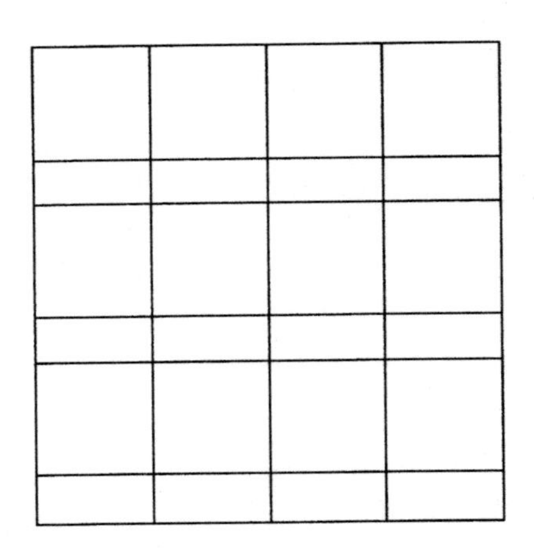

II. Write in Chinese for the following words.

1. Official: ______ ______
2. Frank: ______ ______
3. Admiration: ______ ______ ______
4. Impatient: _____ _____ _____
5. Transfer: _____
6. Promote: _____
7. To pile: _____ ______
8. Firewood: ______
9. Scientist: ______ ______ _____
10. Catch up: ______ ______
11. Diligent: ______ ______
12. Research: _____ _____
13. Still: ______ _____
14. The latecomer ends up in the front:

______ _____ _____ ______

III. Fill in the blanks according to the chapter context.

西漢時候，____________面前有一個________說話__________，經常向武帝提出_____________的話，使得武帝很____________，就把他______到外地去。後來聽說他在外地的________很好，就又把他調回_________。可是武帝________不喜歡他的直率，因爲___________________。

有一天，他_______原來比他_________小的官，一個個都_____得比他快，就___________對武帝說：「你用人好比_____________，把後來的放在上面。」原句是「_______________」。

後人就以「後來居上」，表示後來的人_______得到較高的_______或_______。例如，新進的青年__________，_______工作，努力______，結果成就_______了老科學家，這就是後來居上的例子。又如運動會賽跑，原來_______的同學，忽然_______來，成了第一名，也是後來居上的_______。相信在日常生活中，大家可以_______很多後來居上的_________。

IV. Fill in the blanks by using the words in section II.

1. 尚未經過 ___________的研究證實之前，只能說是傳聞
2. 許多科學家正在_______地球是怎麼開始有生物的
3. 我們不僅經濟要 _______歐美各國，科技更要急起直追
4. 沒有人願意聽別人數落自己的缺點，因為_______________
5. 老闆根據大家的意見，做了一番人事大_____ 動
6. 除夕吃了年糕，今年果然我的職位 _____ 一級
7. 此人做事認真，早晚 ______做研究，卻對升官發財沒興趣
8. 你的功課 ________ 這麼多，什麼時候能做完
9. 毛空最會吹牛，大家都聽得__________了
10. 他因為說話太 _______，大家都對他敬而遠之

V. Rewite the sentences by replacing the underlined words with given words.

1. 某人説話隨便經常向漢武帝吹牛（直率…提出規勸）

   ____

2. 聽説他工作表現不錯，使得武帝很喜歡他（經常落後 … 不耐煩）

   ____

3. 長官仍然不喜歡他，因爲忠言逆耳（調升）

   ____

4. 眼見每一個研究員都升得比他快（後來居上）

   ____

5. 成績落後的人忽然趕上來，反而成績最好（年青科學家… 成就）

   ____

6. 勤奮工作好比堆積柴草，日子愈久成就愈高（研究…職位）

   ____

VI. Translate the following into Chinese.

1. The official does not like his frankness because “honest advice is grating on the ear”.

2. “The latecomer ends up in the front” represents the latecomer who got the higher position.

						後	來	者						

3. The classmate who was left behind originally, all of a sudden, caught up which is also an example of “The latecomer ends up in the front.

原				的							來		

4. (I) believe you can find a lot of true examples in daily life.

		在					中	可							

VII. Make sentences using the given words.

後來居上：____

趕上：____

反而：____

忽然：____

忠言逆耳：____

VIII. Oral Exercise

Say it in Chinese:

The derivation of 後來居上
Giving an example of 後來居上
Making a sentence using the word 後來居上

Wrap up

I. Following is a list of the ten idioms you have learned from this book. Select the correct one to fill in the blank.

一鼓作氣，一暴十寒，半途而廢，堅持到底，反求諸己，舉一反三，司空見慣，紙上談兵，差強人意，道聽途說，後來居上，打鐵趁熱

1. 有始有終的相反就是____________

2. 做研究 __________，比如三天打漁兩天曬網，怎會有成就

3. 光會 __________，而不實際行動，有如空口說白話，談再多都是白廢力氣

4. 雖然落後，但只要勤奮努力，一定會有__________ 的一天

5. 這次考試成績雖然沒有都考一百分，但馬馬虎虎__________

6. 他在桌子上睡覺的壞習慣，大家早已____________

7. 孟同學 _________ 把寒假作業全做完了

8. 做學問要能 _________ 靈活運用，才不致成爲死讀書

9. 德行高的人，遇到失敗，必定懂得 __________

10. 不要相信那些 _________的消息

11. 與其等候機會，還不如 ____________

12. 這個工程太大，很多人半途而廢，只有他 ___________

II. Match the situations with the appropriate idioms.

1. 他去年才開始學國畫，但已經可以當大多數同學的國畫老師了

____

2. 孔子教育弟子， 求學之道是要能夠聞一知十

____

3. 看到此地人們把各種動物，例如牛羊和鴨子等養在房子裏，不必覺得奇怪，我們已經看習慣了

____

4. 本來只想在門口種些花草，但是，既然買了所需要的各種工具，而且請了一個星期的假， 何不一起連後院也全種了

____

5. 某人的庭園設計雖然比不上國際水準，但比起一般人，還算可以

____

6. 敵軍打敗仗最主要的原因是，他們的大將軍是個讀書人，只會 說不會做

____

7. 你相信科學家最近發現外太空也有和地球類似的人類 存在嗎？我想這又是他隨便聽來的

____

8. 大家推從他爲領導者，因爲他每有錯誤發生，從不責怪部下，反而是先改進自己

____

9. 鴉片煙是爲害世人的東西，可是因爲受到其他官員的反對，消除鴉片煙的行動不得不放棄

____

10. 練中國功夫，每天應該要早睡早起，注意飲食，同時至少做三十分鐘健身運動。可是因爲最近工作太忙，只能每隔幾天才做一次運動，所以前功盡棄

____

III. Use section II as the model to either make up a new situation or to simply replace the words in the existing sentences and to match each idiom listed below.

一鼓作氣：

一暴十寒：

半途而廢：

反求諸己：

舉一反三：

司空見慣：

紙上談兵：

差強人意：

道聽途說：

後來居上：

IV. Make a sentence by using each one of the idioms you have learned from this book.

1. 一鼓作氣：____________________

2. 一暴十寒：____________________

3. 半途而廢：____________________

4. 反求諸己：____________________

5. 舉一反三：____________________

6. 司空見慣：____________________

7. 紙上談兵：____________________

8. 差強人意：____________________

9. 道聽途説：____________________

10. 後來居上：____________________

V. Fill in the blanks using the words in the word bank.

應該，絶對，覺得，勇氣，浪費，感動，打鐵趁熱，堅持到底，努力，缺點，願意，做人做事，根據，奇怪，解釋，仔細，驚慌失措，增加，堆積，趕上，發奮圖強，前功盡棄，成熟

1. 不要因爲經過幾次的失敗，就喪失＿＿＿＿再做研究發明

2. 我認爲＿＿＿＿＿＿最重要的是講信用，才會得到別人的信任

3. 一個國家或民族的興盛，＿＿＿＿＿不是少數人的努力結果

4. 船上載滿了價值珍貴的珍珠寶物，一旦遇到風浪，全船的人

   立刻＿＿＿＿＿＿，不知如何是好

5. 最近幾十年，中國大陸人民＿＿＿＿＿＿各方面都急起直追，數年之内便能趕上歐美國家

6. 中國人親戚之間的稱謂複雜，但是用錯了稱呼則會鬧笑話，

   因此，每一個中國人都＿＿＿＿＿清楚各種稱謂的用法

7. 未婚的小姐一律稱呼阿姨，這是中國人的風俗習慣，不需要

   覺得＿＿＿＿＿

8. 歷史故事有些是＿＿＿＿考古學家的說法，有些則是根據史書編造的

9. 已經好久沒有下雨，政府要求人民不要＿＿＿＿＿水電

10. 人是沒有十全十美的，但發現自己的＿＿＿＿就要立刻改過

11. 海邊堆砂(sand)比賽，中途因爲下雨而不得不取消，無論作

    品多偉大，全部都＿＿＿＿＿＿＿了

12. 西方國家正流行中國式建築，何不＿＿＿＿＿＿再介紹他們中國式的庭園設計

13. 家庭主婦爲家事操勞，我＿＿＿＿先生不應該稱她黃臉婆

14. 漢人在月餅中藏紙條，傳達消息，一旦時機______大家起而推翻滿清政府

15. 最新紙幣的發行是經過許多人______研究後決定的

16. 辣子肉丁，顧名思義味道辛辣，不須______

17. 國父推翻滿清全是因爲他做事有________的決心

18. 最近因爲生病，工作______太多，假日只好在家趕工

19. 孔子周遊列國，卻沒有一個諸侯______重用他

20. 再不好好努力，你的功課就無法______班上其他同學了

21. 想要打好中文基礎，不______用功是不行的

22. 大家都被他的孝心所______紛紛想法子幫助他

23. 這道牆從原來的一丈寬______到兩丈

Rearrange the words in order to make each sentence meaningful. (Write the numbers to show the order.)

1. 1我漸漸減少 2非常不滿 3老師對 4練鋼琴的時間

【　　　　　　】

2. 1不僅要多 2靈活運用 3追求學問 4思考還要能

【　　　　　　】

3. 1爲即將來臨的 2校長發動 3 校慶做準備 4全校大掃除

【　　　　　　】

4. 1做了一番事業 2圖強終於 3樂羊很受感動 4從此發奮

【　　　　　　】

5. 1一乾二淨 2過去所學 3不勤於練習 4很快就忘得

【　　　　　　】

6. 1趙括果然　2全被殺光　3一夜之間　4趙軍也在　5中箭而死

【　　　　　　】

7. 1一首打油詩　2一時興起　3便做了　4劉禹錫

【　　　　　　】

8. 1男人穿裙子　2蘇格蘭的　3有什麼好　4大驚小怪的呢

【　　　　　　】

9. 1國混亂諸侯們 2不知如何抵抗 3春秋時代中 4驚慌失措 5外侮的侵略

【　　　　　　】

10. 1最後艾子 2毛空一直在吹牛 3你在胡(hu)說八道 4忍不住說

【　　　　　　】

11. 1使他很不滿 2眼見比他差的人 3升得比他快 4一個個都

【　　　　　　】

12. 1說用人好比　2不耐煩的　3堆積柴草　4武帝很

【　　　　　　】

13. 1忠言逆耳　2長官不喜歡　3因爲　4他的直率

【　　　　　　】

14. 1因此孟子　2不夠認眞　3章禹學習　4不願意教他

【　　　　　　】

15. 1國家安危　2看得太容易　3用兵關係　4而他卻

【　　　　　　】

VI. Oral Exercise

Following are the ten idioms you have learned from this book

一鼓作氣
一暴十寒
半途而廢
反求諸己
舉一反三
司空見慣
紙上談兵
差強人意
道聽途說
後來居上

A. Tell the derivation for each one of the idioms

B. Explain the meaning for each idiom

C. Give a sample sentence for each idiom

(Page 3~6)

II.

1春秋2齊國3魯國4打仗5鼓6打敗7全憑8勇氣9旺盛10稍減11部隊12喪失13敵人14自然15打鐵趁熱16整理17整齊18來臨19準備20發動21校園22運動會23副校長24打掃除

III.

春秋時代，打仗，齊國，鼓，魯軍，打敗，全憑，旺盛，稍減，勇氣，部隊，喪失，敵人，自然，一鼓作氣，打鐵趁熱，發動，整理，校園，來臨，準備，副校長，打掃除，整齊

IV.

1運動會2喪失3齊國，魯國4敵人5部隊6自然7春，秋8準備9整理10一鼓作氣11大掃除12發動13打鐵趁熱14旺盛

V.

1. 齊國的部隊全喪失了與敵人作戰的勇氣
2. 全校學生一鼓作氣發動全校大掃除
3. 做事要打鐵趁熱成功的機會才比較大
4. 商店忙著爲即將來臨的春節做準備
5. 他的勇氣並沒有因爲被打敗而稍減
6. 他考試第一名全憑自己運氣好

VI.

1. 副校長等校長打鼓之後才跳舞
2. 部隊作戰全憑勇氣
3. 第一次勇氣旺盛第二次稍減第三次勇氣全喪失了
4. 做事要打鐵趁熱才會有成功的希望
5. 大家一鼓作氣把校園整理的既乾淨又整齊

VII.

1. 他一鼓作氣把船和房子都賣了
2. 老板一鼓作氣把商店全修改了
3. 副校長一鼓作氣一夜之間就把教材完成了
4. 叔叔一鼓作氣幫我做了兩首歌

(Page 9~12)

II.

1孟子2堅持到底3生命力4不滿5不客氣6奸人7生物8陽光9曬10陰寒11它12凍13一曝十寒14隔15彈鋼琴16練17漸漸18減少19每個幾天

III.

孟子，堅持到底，奸人，不滿，不客氣，生命力，生物，陽光，曬，陰寒，凍，它，一曝十寒，隔，一鼓作氣，打鐵趁熱，彈鋼琴，練，漸漸減少，半個鐘頭，每隔一天

IV.

1生命力2曬3陽光4彈鋼琴5隔6彈7漸漸8減少9奸人10堅持到底11一曝十寒12不滿13不客氣14凍15陰寒

IV.

1. 孟子和孔子都是中國歷史上的偉人
2. 做事總是一曝十寒還不如不做
3. 人民不滿滿清政府要求女人綁小腳
4. 他雖然落後很多但仍然堅持到底
5. 他的部隊一直打敗仗所以人數漸漸減少

V.

1. 孟子不滿齊王做事不堅持到底
2. 我們已經在陽光下曬一天了
3. 姑姑每隔兩天就來教我彈鋼琴
4. 每年花車遊行已經漸漸減少了
5. 它在陰寒地方凍了十天怎麼活得了
6. 無論做什麼事情都要堅持到底

(Page 15~18)

II.

1樂羊2學業3剪刀4織布機5半途而廢6浪費7感動8一番9事業10絕對11學習12西班牙文13外語14不勤15放棄16求學17發奮圖強18前功盡棄19有始有終

III.

樂羊，求學，學業，想念，立刻，剪刀，織布機，剪斷，一絲，前功盡棄，半途而廢，浪費，感動，發奮圖強，一番事業，決定，一件事情，有始有終，絕對，放棄，西班牙文，學習外語，決心，半途而廢，不勤，練習，一乾二淨

IV.

1半途而廢2織布機3西班牙文4感動5事業6放棄7浪費8發奮圖強9前功盡棄10有始有終

V.

1. 你告訴他不要浪費水電
2. 大家被他照顧長輩的孝心所感動
3. 齊軍發奮圖強準備明年再戰
4. 爺爺堅持年輕人做事要有始有終
5. 設計圖全部被火燒光眞是前功盡棄
6. 誰說做事半途而廢的人能成一番事業

VI.

1. 樂羊到國外學外語但是半途而廢
2. 一旦決定做一件事情就要有始有終
3. 如果半途而廢則將前功盡棄
4. 舅舅發奮圖強終於做了一番事業
5. 不勤於練鋼琴過去所學的很快就會忘得一乾二淨

(Page 21~23)

II.

1伯啓2抵抗3諸侯4侵犯5不甘心6兵7弱8德行9教育10毛病11歸順12努力13改正14應該15缺點16改進17錯誤18部下19作法20反求諸己

II.

抵抗，侵犯，伯啓，不甘心，要求，兵，弱，打敗仗，德行，差，教育，毛病，努力，改過，發奮圖強，諸侯，歸順，應該，缺點，改進，錯誤

IV.

1應該2歸順3兵4改過5錯誤6不甘心7努力8毛病9作法10反求諸己

V.

有錯誤就應該立刻改正
諸侯最大的錯誤就是不應該侵犯別人
魯國帶兵抵抗外來的侵犯
孔子不斷教育學生做人要反求諸己
因爲他的努力部下生活得到很大改進

VI.

1. 伯啓教育部下事事反求諸己
2. 伯啓的部下不甘心歸順諸侯
3. 韓國兵不比我們的弱
4. 有了錯誤要立刻改正
5. 失敗時應該想想自己的缺點在哪兒
6. 找到毛病再努力改進

(Page 26~29)

II.

1聖人2傑出3教育家4學生5桌子6角7聯想8認爲9完全10了解11靈活12例子13類似14認眞15願意16並用17不僅18根據19追求20做人做事21道理22思考23聞一知十

III.

聖人，傑出，歷史，教育家，弟子，桌子，角，聯想，認爲，完全了解，靈活，舉出，例子，類似，認眞，願意，聞一知十，並用，不僅，追求，做人做事，根據，道理，思考

IV.

1聖人2傑出3教育家4類似5靈活6了解7根據8並用9願意10道理11思考12認眞13弟子14聯想15舉一反三

V.

1. 桌子有四個角牆也有四個角
2. 他的頭腦靈活好像電腦一樣
3. 女能不能舉出幾個類似的例子
4. 這本小說不僅感動人心故事也有事實根據
5. 學習不但要認眞而且應該完全了解

VI.

1. 舉一反三和聞一知十意思類似
2. 孔子認爲學習應該完全了解
3. 請舉出一個類似的例子
4. 追求學問和做人做事是同樣道理
5. 不僅完全了解而且靈活運用

II.

1文章2出色3詩詞4劉禹錫5仰慕6邀請7飲酒作樂8句9成語10奇怪11偶然12遇到13蘇格蘭14尤其15一時興起

III.

文章，詩詞，出色，劉禹錫，官職，仰慕，邀請，飲酒作樂，一時興起，司空見慣，整句成語，奇怪，尤其，偶然，遇到，裙子，大驚小怪，蘇格蘭

IV.

1仰慕2劉禹錫3飲酒作樂4一時興起5蘇格蘭6出色7司空見慣8奇怪9遇到10偶然11尤其12邀請

V.

爺爺年輕時是一名很出色的運動員
司空見慣也就是見怪不怪的意思
孔子周遊列國偶然遇到屈原
歐洲國家特別陰寒尤其一月份的時候
她飲酒作樂大家早就司空見慣不必大驚小怪

VI.

我仰慕他所以邀請他飲酒作樂
這個文章很奇怪不相劉禹錫寫的
張先生一時興起邀請劉小姐看電影
蘇格蘭男人穿裙子早已司空見慣
在觀光勝地遇到警察不必大驚小怪
劉禹錫的每篇文章都很出色

(Page39~42)

II

1談論2成熟3趙括4重要5大將6年青7道8倒9安危10中箭11果然12嘲笑13解釋14時機15尚未16殺死17實際18情況

III.

大將，趙括，年青，談論，之道，難導，關係，安危，容易，果然，中箭，殺光，嘲笑，死讀書，實際，紙上談兵，解釋，時機尚未成熟，情況

IV.

1談論2大將3時機4成熟5解釋6安危7果然8嘲笑9實際10情況11紙上談兵12之道13

V.

1. 紙上談兵
2. 司空見慣
3. 一曝十寒
4. 反求諸己
5. 舉一反三
6. 前功盡棄

VI.

1. 趙國大將即使中箭也不放棄
2. 他雖熟讀詩書卻不知怎麼解釋這句成語
3. 葡萄果然在一夜之間成熟了
4. 只知死讀書而不知靈活運用有如紙上談兵
5. 她是數學天才再難的問題也不能難倒她

VII.

1. 趙括年青時已熟讀詩書
2. 即使父親和他談論用兵之道也不能難倒他

3. 總統安危關係全國他卻看得很容易
4. 他果然只知紙上談兵而不知實際運用
5. 時機尚未成熟談論只是浪費時間

(Page 46~48)

II.

1外侮2如何3侵略4驚慌失措5將領6仔細7率領8修理9讚嘆10引用11滿意12略可13忽然14某人15成績

III.

後漢光武帝，外侮，侵略，將領，驚慌失措，如何抵抗，忽然，打聽，情況，率領，修理，仔細，讚嘆，引用，成語，差強人意，某人，滿意，略可，成績，情形

IV.

1差強人意2修理3驚慌失措4讚嘆5成績6仔細7率領8忽然9某人10如何

V.

長城是爲抵抗外侮的侵略而建造
平常有準備遇到考試就不會驚慌失措
李叔叔的文章不是寫得很好但差強人意
趙同學喜歡引用古代的詩詞來嘲笑別人
請仔細想想這兩個年青人是如何認識的

VI.

1. 秦朝中國經常受到外侮的侵略
2. 將領驚慌失措不知如何抵抗侵略
3. 他仔細想想然後讚嘆道成績差強人意
4. 老師引用副校長的話反求諸己
5. 雖然不十分滿意他的成績但覺得略可

(Page 52~54)

II.

1艾子2鴨子3蛋4相信5增加6吹牛7掉下8肉9寬10忍不住11老實12回答13隨便14道聽途說15緊接著

III.

春秋戰國，鴨子，鴨蛋，相信，於是，兩隻，改口，總是，增加，緊接著，吹牛道，掉下，丈長，寬，相信，減到，忍不住，剛才，誰家，塊肉，老實回答，轉過臉，道聽途說，隨便，根據，傳聞

IV.

1隨便2吹牛3鴨蛋4相信5忍不住6緊接著7道聽途說8掉下9丈10寬11增加12回答

V.

1. 孔子告訴學生己所不欲勿施於人
2. 雖然毛空一再改變艾子總是不相信
3. 他緊接著又吹牛說她的頭髮十丈長
4. 艾子老實回答說我無法解釋
5. 他轉過臉來對我說不要相信他

(Page 58~61)

II.

1官員2直率3規勸性4不耐煩5調6升7堆積8柴9科學家10趕上11勤奮12研究13仍然14後來居上

III.

漢武帝，官員，直率，規勸性，不耐煩，調，表現，京城，仍然，忠言逆耳，眼見，職位，升，忍不住，堆積柴草，後來居上，反而，職位，成績，科學家，勤奮，研究，超過，落後，趕上，例子，找到，實例

IV.

1科學家2研究3趕上4忠言逆耳5調6升7努力8堆積9不耐煩10直率

VI.

1. 官員不喜歡他的直率因爲忠言逆耳

2. 後來居上表示後來者得到較高職位
3. 原來落後的同學忽然趕上來也是後來居上的例子
4. 相信在日常生活中可以找到很多實例

Wrap up

I

1. 半途而廢
2. 一曝十寒
3. 紙上談兵
4. 後來居上
5. 差強人意
6. 司空見慣
7. 一鼓作氣
8. 舉一反三
9. 反求諸己
10. 道聽途說
11. 打鐵趁熱
12. 堅持到底

II.

1. 後來居上
2. 舉一反三
3. 司空見慣
4. 一鼓作氣
5. 差強人意
6. 紙上談兵
7. 道聽途說
8. 反求諸己
9. 半途而廢
10. 一曝十寒

V.

1勇氣2做人做事3絕對4驚慌失措5發奮圖強6應該7奇怪8根據9浪費10缺點11前功盡棄12打鐵趁熱13覺得14成熟15仔細16解釋17堅持到底18堆積19願意20趕上21努力22感動23增加

VI.

1. 3142
2. 3142
3. 2413
4. 3421
5. 3241
6. 15432
7. 4231
8. 2134
9. 31425
10. 2143
11. 2431
12. 4213
13. 2431
14. 3214
15. 3142.

第八册生字拼音索引
Pinyin Index

(Page numbers are given after each item)

第八冊生字與生詞英文索引
Index to new words and phrases